LES PETITES
POÊLÉES
de Bruno Gensdarmes

À ma grand-mère et à ma tante.

En couverture : recette des poires au miel et au romarin.

Conception graphique : francis m
Mise en page : Natacha Marmouget

Connectez-vous sur :
www.lamartiniere.fr

© 2004 Éditions Minerva, Genève (Suisse)
ISBN : 2-8307-0744-3

LES PETITES
POÊLÉES
de Bruno Gensdarmes

Photographies : Alain Gelberger

Stylisme : Catherine Bouillot

Minerva

La cuisson à la poêle représente pour moi la spontanéité d'une cuisine simple, à base de bons produits, et qui laisse la place à l'imagination qu'inspire un marché avec Jean-Luc Petitrenaud.

● ● ● ● ● ●

Le choix des poêles varie selon les recettes. En général, je choisis des poêles de 28 cm, mais lorsqu'il est nécessaire d'en employer deux, je les prends un peu plus petites (24 cm). C'est le cas pour la recette des foies de poulet fermier aux pommes ou celle de la ratatouille « minute » à l'œuf cassé.

Les poêles antiadhésives sont parfaites pour les produits qui risquent d'accrocher. Vous pouvez les utiliser pour réaliser la recette de sardines aux citrons et aux câpres ou de saumon aux haricots verts et au gingembre.

Pour certaines recettes, j'aime utiliser des poêles en fonte, comme celles de nos grands-mères. Elles diffusent mieux la chaleur. Je vous les conseille pour réaliser la recette de magrets de canard aux figues et au laurier ou de lapin aux olives et au vin blanc.

Si vous avez la chance de posséder des poêles en cuivre, réservez-les pour cuire les fruits. Elles sont idéales pour la diffusion de la chaleur tout en douceur, et donc pour des recettes comme les bananes façon Suzette ou la poêlée mi-figues, mi-raisin.

Enfin, il m'arrive d'utiliser un wok, qui saisit les ingrédients et permet une cuisson très rapide, je vous le conseille pour la recette des crevettes aux endives et au citron vert et celle des crevettes au persil et aux échalotes.

● ● ● ● ● ●

Je souhaite que vous réalisiez ces « petites poêlées » avec autant de plaisir que j'en ai eu à les concocter pour vous…

Bruno Gensdarmes
Restaurant Le Bistrot de l'Étoile Niel
75, avenue Niel
75017 Paris
Tél. : 01 42 27 88 44

Sommaire

POÊLÉES D'ENTRÉES

POÊLÉES DE POISSONS

POÊLÉES DE VIANDES

POÊLÉES DE DESSERTS

Spaghettis de courgettes au chèvre

TEMPS DE PRÉPARATION
15 minutes

INGRÉDIENTS
POUR 4 PERSONNES
4 courgettes
160 g de chèvre frais
1 bouquet de basilic ciselé
1/2 botte de ciboulette ciselée
2 cuillerées à soupe d'huile d'olive
Sel
Poivre du moulin

1 poêle de 28 cm
de diamètre environ

Lavez les courgettes et coupez-les en deux. Coupez chaque morceau en fines tranches dans la longueur, puis détaillez ces tranches en fins spaghettis.

Faites chauffer l'huile d'olive dans la poêle, jetez-y les spaghettis de courgettes et faites-les cuire pendant 2 minutes à feu vif en mélangeant.

Ajoutez le basilic. Salez, poivrez et mélangez bien.

Coupez le chèvre en bâtonnets de 1 cm de largeur environ. Ajoutez-les aux courgettes et laissez cuire 30 secondes à feu vif.

Décorez de ciboulette et servez aussitôt.

Avant d'ajouter le chèvre aux courgettes, vous pouvez le laisser mariner quelques heures dans un peu d'huile d'olive avec des feuilles de basilic. Vous pouvez aussi le remplacer par de gros copeaux de parmesan et décorer votre poêlée de tomates séchées.

Foies de poulet fermier aux pommes

TEMPS DE PRÉPARATION
15 minutes

INGRÉDIENTS
POUR 4 PERSONNES

400 g de foies de poulet fermier
2 pommes (type granny-smith)
20 pousses d'épinards lavées
2 brins d'estragon haché
2 brins de persil plat haché
1 cuillerée à soupe de vinaigre
de vin vieux
30 g de beurre
1 cuillerée à soupe d'huile d'arachide
Sel
Poivre du moulin

2 poêles de 24 cm
de diamètre environ

Coupez les foies de poulet en deux et réservez-les.

Épluchez les pommes, coupez-les en deux et retirez le cœur et les pépins. Coupez chaque moitié en trois morceaux et faites-les dorer à la poêle dans 20 g de beurre 3 minutes à feu moyen. Réservez-les.

Dans l'autre poêle, faites chauffer l'huile d'arachide et le reste de beurre jusqu'à l'obtention d'une couleur noisette. Mettez les foies et laissez-les colorer 2 minutes de chaque côté à feu moyen.

Ajoutez le vinaigre, l'estragon et le persil. Salez, poivrez et mélangez le tout. Ajoutez enfin les pommes, puis parsemez de pousses d'épinards. Mélangez délicatement et servez aussitôt.

Surveillez bien la cuisson des foies, ils doivent rester rosés. Vous pouvez remplacer les foies de poulet par des foies ou des rognons de lapin et les pommes par des poires.

Cèpes crus et cuits au parmesan

Nettoyez les cèpes avec une petite brosse humide pour en retirer la terre. Émincez-les.

Faites chauffer le beurre dans la poêle et faites cuire la moitié des cèpes pendant 2 minutes à feu vif. Ajoutez les échalotes et la moitié du persil. Salez, poivrez et mélangez bien.

Hors du feu, répartissez les cèpes crus sur les cèpes cuits. Réalisez des copeaux de parmesan à l'aide d'un économe et parsemez-en la poêlée. Arrosez d'huile d'olive, décorez du reste de persil et servez aussitôt.

Choisissez des cèpes aussi propres que possible car ils risquent de se gorger d'eau et de perdre de leur saveur si vous êtes obligés de les rincer. Vous pouvez réaliser cette poêlée avec des champignons de Paris.

TEMPS DE PRÉPARATION
15 minutes

INGRÉDIENTS
POUR 4 PERSONNES

800 g de petits cèpes

50 g de parmesan

2 échalotes émincées

1/2 botte de persil plat ciselé

30 g de beurre

4 cuillerées à soupe d'huile d'olive

Sel

Poivre du moulin

1 poêle de 28 cm de diamètre environ

Crevettes aux endives et au citron vert

TEMPS DE PRÉPARATION
25 minutes

**INGRÉDIENTS
POUR 4 PERSONNES**

24 crevettes roses (type bouquet)
2 endives
Le zeste de 1 citron vert blanchi
Le zeste de 1/2 orange blanchi
1/2 botte de coriandre ciselée
Le jus de 1/2 citron vert
20 g de beurre
1 pincée de sucre semoule
Sel
Poivre du moulin

1 wok

Faites chauffer le beurre dans le wok. Ajoutez les crevettes et faites-les sauter pendant 30 secondes à feu vif. Retirez-les du wok et réservez-les.

Rincez les endives après avoir supprimé les feuilles abîmées, essuyez-les et retirez leur base. Coupez-les en deux dans le sens de la longueur, ôtez la partie centrale plus dure et émincez-les finement. Incorporez-les au wok avec le sucre, salez, poivrez, puis faites cuire les endives 10 minutes à feu moyen afin qu'elles caramélisent.

Ajoutez le jus de citron vert et les zestes d'orange et de citron. Mélangez bien, ajoutez les crevettes et laissez cuire le tout 5 minutes à feu moyen en mélangeant. Parsemez de coriandre et servez aussitôt.

Vous pouvez décortiquer les crevettes avant de les poêler et congeler les têtes et les carcasses. Elles pourront servir à l'élaboration d'un excellent jus ou d'une soupe.

Champignons de Paris aux rillons de porc

TEMPS DE PRÉPARATION
20 minutes

INGRÉDIENTS
POUR 4 PERSONNES
400 g de champignons de Paris
de taille moyenne
200 g de rillons de porc
1 gousse d'ail hachée
1 échalote hachée
2 baies de genièvre concassées
Le jus de 1 citron
1 cuillerée à soupe d'huile d'arachide
Sel
Poivre du moulin

1 poêle de 28 cm
de diamètre environ

Retirez le bout terreux des pieds des champignons et lavez soigneusement les chapeaux et les pieds. Coupez les chapeaux en quatre et émincez les pieds.
Coupez les rillons de porc en tranches de 1/2 cm d'épaisseur environ.
Faites chauffer l'huile dans la poêle. Ajoutez les rillons de porc et faites-les rissoler 1 minute de chaque côté à feu moyen. Retirez-les de la poêle.
Dans le jus de cuisson des rillons, faites cuire les champignons avec 1 pincée de sel et 1 tour de moulin à poivre 4 minutes à feu moyen. Ils doivent être bien dorés.
Mettez la gousse d'ail et l'échalote, puis prolongez la cuisson de 1 minute.
Ajoutez les baies de genièvre, le jus de citron et les rillons de porc. Mélangez et servez aussitôt.

Pour que les champignons ne rendent pas d'eau à la cuisson, l'huile doit être bien chaude.

Œufs aux artichauts violets

Cassez la queue des artichauts au ras des feuilles et retirez les premières feuilles qui sont souvent dures. Coupez les artichauts en deux dans le sens de la longueur. Enlevez les petites feuilles centrales et le foin à la petite cuillère, puis émincez finement les artichauts. Réservez.

Déposez les lardons dans une casserole d'eau froide, portez à ébullition et laissez-les dessaler 1 minute. Égouttez-les.

Dans la poêle, faites chauffer l'huile d'olive. Ajoutez l'ail et faites-le légèrement dorer à feu doux.

Ajoutez l'oignon et les lardons et laissez cuire 3 minutes. Enfin, ajoutez les artichauts et faites-les sauter 15 minutes à feu moyen. Salez, poivrez et mélangez.

Quelques minutes avant de servir, ajoutez le beurre et les œufs, puis faites cuire 3 minutes à feu doux afin qu'ils prennent. Servez aussitôt.

Vous pouvez remplacer les artichauts violets par de jeunes artichauts.

TEMPS DE PRÉPARATION
40 minutes

INGRÉDIENTS
POUR 4 PERSONNES

4 œufs extra-frais

8 petits artichauts violets

100 g de lardons salés

1 oignon émincé

2 gousses d'ail hachées

20 g de beurre

2 cuillerées à soupe d'huile d'olive

Sel

Poivre du moulin

1 poêle de 28 cm
de diamètre environ

Foie gras de canard au potiron

Retirez les graines et les filaments du potiron. Épluchez-le et coupez-le en cubes de 1/2 cm de côté environ.

Dans une casserole, faites réduire le vinaigre balsamique 5 minutes à feu doux. Il doit avoir une consistance de caramel. Hors du feu, ajoutez l'huile d'olive, 1 pincée de sel et 1 tour de moulin à poivre. Mélangez et réservez ce caramel balsamique.

Dans la poêle, faites cuire les escalopes de foie gras sans ajouter de matière grasse 2 minutes de chaque côté à feu vif. Réservez-les sur du papier absorbant en conservant la moitié de leur graisse de cuisson dans la poêle. Faites-y colorer les dés de potiron pendant 5 minutes à feu moyen. Salez et poivrez.

Ajoutez les escalopes de foie gras et arrosez de caramel balsamique. Salez, poivrez, décorez de tomates séchées et servez aussitôt.

Achetez du foie gras de très bonne qualité, sinon il risquerait de fondre à la cuisson. Choisissez-le bien ferme et frais et préparez cette recette au dernier moment.

TEMPS DE PRÉPARATION
20 minutes

INGRÉDIENTS
POUR 4 PERSONNES

4 escalopes de foie gras de canard cru de 80 g chacune

200 g de potiron

8 tomates séchées

2 cuillerées à soupe de vinaigre balsamique

2 cuillerées à soupe d'huile d'olive

Sel

Poivre du moulin

1 poêle de 28 cm de diamètre environ (à fond épais, si possible)

Sucrines poêlées au lard et au vinaigre

TEMPS DE PRÉPARATION
15 minutes

INGRÉDIENTS
POUR 4 PERSONNES
6 sucrines ou cœurs de laitue
200 g de poitrine de porc salée (lard)
1/2 botte de ciboulette ciselée
1 cuillerée à soupe de vinaigre
de xérès
10 g de beurre
Sel
Poivre du moulin

1 poêle de 28 cm
de diamètre environ

Plongez la poitrine de porc dans une casserole d'eau froide, portez à ébullition à feu doux et laissez-la dessaler 1 minute. Égouttez-la et coupez-la en gros lardons. Faites chauffer le beurre dans la poêle, ajoutez les lardons et faites-les rissoler 5 minutes à feu moyen.
Lavez et coupez les sucrines en deux. Ajoutez-les aux lardons et laissez-les colorer pendant 2 minutes à feu moyen en les retournant.
Déglacez avec le vinaigre de xérès et laissez cuire jusqu'à évaporation 1 minute environ à feu moyen en mélangeant. Salez, poivrez, ajoutez la ciboulette, puis mélangez à nouveau. Servez aussitôt.

Vous pouvez remplacer les sucrines par des épinards. Cette recette est idéale pour accompagner viandes et volailles. Vous pouvez également réaliser cette recette dans des poêlons individuels et les servir directement à table.

Ratatouille « minute » à l'œuf cassé

TEMPS DE PRÉPARATION
40 minutes

INGRÉDIENTS
POUR 4 PERSONNES
4 œufs extra-frais
2 aubergines
2 courgettes
2 tomates
1 poivron rouge
1 oignon émincé
3 gousses d'ail hachées
1 botte de persil plat haché
5 cuillerées à soupe d'huile d'olive
Sel
Poivre du moulin

2 poêles de 24 cm de diamètre environ

Lavez les courgettes et les aubergines et coupez-les en dés de 1/2 cm de côté environ. Lavez, épépinez et émincez le poivron. Réservez ces ingrédients sans les mélanger.

Plongez les tomates 30 secondes dans de l'eau bouillante. Rafraîchissez-les et pelez-les. Retirez les pépins et détaillez-les en petits dés.

Dans une poêle, faites dorer l'oignon et le poivron dans 2 cuillerées à soupe d'huile d'olive 10 minutes à feu doux. Ajoutez les tomates et laissez cuire 5 minutes à feu moyen.

Dans l'autre poêle, faites sauter les dés d'aubergines dans le reste d'huile pendant 3 minutes à feu vif. Ajoutez les dés de courgettes, salez, poivrez et laissez cuire 5 minutes.

Réunissez le contenu des deux poêles dans une seule, ajoutez l'ail et le persil et mélangez. Cassez les œufs dans la poêle et laissez cuire 3 minutes afin qu'ils prennent. Servez aussitôt.

Cette poêlée sera également délicieuse si vous la servez froide.

Pommes de terre aux escargots

Déposez les pommes de terre dans une grande casserole d'eau froide salée et portez à ébullition. Laissez-les cuire 20 minutes, égouttez-les et laissez-les refroidir. Épluchez-les et coupez-les en rondelles. Réservez.

Déposez les échalotes et l'ail dans la poêle antiadhésive avec 20 g de beurre et laissez-les suer 1 minute à feu doux. Laissez refroidir.

Déposez les lardons dans une casserole d'eau froide, portez à ébullition et laissez-les dessaler 1 minute. Égouttez-les et faites-les revenir dans la petite poêle avec l'huile jusqu'à ce qu'ils soient bien dorés. Laissez-les refroidir et incorporez-les avec le reste de beurre et le persil à la poêle contenant les échalotes et l'ail. Mélangez et faites chauffer ce beurre. Faites-y rissoler les pommes de terre 5 minutes à feu moyen.

Ajoutez les escargots et laissez-les cuire 1 minute. Ajoutez le cœur de frisée effeuillé et mélangez. Salez, poivrez et servez aussitôt.

Ne prolongez pas la cuisson des escargots, car ils risqueraient de durcir.

TEMPS DE PRÉPARATION
40 minutes

INGRÉDIENTS
POUR 4 PERSONNES
32 escargots (type petit-gris)
200 g de pommes de terre
(type charlotte)
50 g de lardons salés
1 cœur de frisée
1 gousse d'ail hachée
2 échalotes émincées
1/2 botte de persil plat haché
100 g de beurre ramolli
1 cuillerée à soupe d'huile d'arachide
Sel
Poivre du moulin

1 poêle antiadhésive de 24 cm de diamètre environ + 1 petite poêle

Lotte aux échalotes confites

TEMPS DE PRÉPARATION
1 heure

INGRÉDIENTS
POUR 4 PERSONNES

4 médaillons de lotte sans peau de
200 g chacun environ
600 g de pommes de terre (type ratte)
8 échalotes
1 branche de romarin
Le jus de 1/2 citron
4 cuillerées à soupe de fumet
de poisson
60 g de beurre
30 cl d'huile d'arachide
Sel
Poivre du moulin

*1 poêle antiadhésive
de 28 cm de diamètre environ*

Lavez les échalotes sans les peler et coupez-en les extrémités. Déposez-les dans une petite casserole, recouvrez-les de 25 cl d'huile et laissez cuire 30 minutes à feu doux. Égouttez-les et récupérez la chair de quatre d'entre elles. Mixez-la afin d'obtenir une purée. Réservez cette purée et les échalotes entières.

Épluchez les pommes de terre et coupez-les en rondelles. Faites-les dorer à la poêle dans 25 g de beurre et le reste d'huile 3 minutes à feu moyen. Salez, poivrez et réservez les pommes de terre.

Essuyez la poêle de cuisson des pommes de terre et poêlez-y les médaillons de lotte dans 25 g de beurre, 5 minutes de chaque côté à feu vif. Retirez-les de la poêle, versez-y le fumet de poisson et laissez-le réduire de moitié 2 minutes à feu moyen. Ajoutez la purée d'échalotes, le jus de citron, le reste de beurre et les médaillons de lotte, puis laissez cuire le tout 3 minutes à feu moyen. Ajoutez les rondelles de pommes de terre et les échalotes entières et mélangez. Parsemez de brins de romarin et servez aussitôt.

Élaborez cette recette avec de la lotte fraîche uniquement. La lotte surgelée rendrait trop d'eau et serait impossible à colorer.

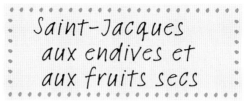

Saint-Jacques aux endives et aux fruits secs

TEMPS DE PRÉPARATION
30 minutes

INGRÉDIENTS
POUR 4 PERSONNES
20 noix de coquilles Saint-Jacques
8 endives
4 abricots secs
4 dattes
1 cuillerée à soupe de raisins secs
Le jus de 1/2 citron
20 g de beurre
Sel
Poivre du moulin

1 poêle de 28 cm de diamètre
environ (à fond épais, si possible)

Rincez les endives après avoir retiré les feuilles abimées. Essuyez-les et retirez leur base. Coupez-les en deux dans le sens de la longueur, ôtez la partie centrale plus dure et émincez-les finement. Réservez-les.

Poêlez les noix de Saint-Jacques dans le beurre 2 minutes de chaque côté à feu vif. Elles doivent être légèrement colorées et leur cœur doit rester cru. Réservez.

Dans le jus de cuisson des Saint-Jacques, poêlez les endives pendant 15 minutes à feu moyen.

Ajoutez le jus de citron, les raisins secs, ainsi que les abricots et les dattes dénoyautées coupés en petits dés, puis laissez compoter 5 minutes en remuant.

Salez, poivrez et mélangez. Répartissez les noix de Saint-Jacques sur la poêlée et servez aussitôt.

Soyez très attentifs à la cuisson
des noix de Saint-Jacques.
Trop cuites, elles seraient dures
et perdraient leur moelleux.

Langoustines poêlées au chorizo

Coupez les têtes de huit langoustines et décortiquez celles-ci en conservant les têtes et les carapaces. Incisez le dessus des queues et ôtez les boyaux. Conservez les queues au réfrigérateur.

Dans une cocotte, faites revenir la carotte, l'oignon, le céleri, le thym et le laurier 5 minutes à feu moyen dans 1 cuillerée à soupe d'huile d'olive.

Ajoutez les carapaces et les têtes des langoustines, écrasez-les et laissez revenir encore 5 minutes. Versez le cognac et flambez jusqu'à extinction. Versez 1 litre d'eau et portez à ébullition, puis ajoutez le concentré de tomate. Salez, poivrez et laissez cuire 30 minutes à feu doux. Passez au chinois et réservez.

Poêlez les langoustines décortiquées et non décortiquées 30 secondes à feu vif dans le reste d'huile d'olive. Salez, poivrez et ajoutez le chorizo. Laissez cuire 2 minutes. Ajoutez la sauce à base de cognac, portez à ébullition et laissez cuire 1 minute à feu moyen. Parsemez de feuilles de coriandre et disposez les langoustines non décortiquées sur le dessus de la poêlée. Servez aussitôt.

Vous pouvez remplacer les langoustines par des gambas.

TEMPS DE PRÉPARATION
1 heure

INGRÉDIENTS
POUR 4 PERSONNES

12 langoustines de 200 g chacune

100 g de fines tranches de chorizo espagnol (gros diamètre) coupées en lamelles

1 carotte coupée en rondelles

1 branche de céleri émincée

1 oignon émincé

2 branches de thym

1 feuille de laurier

1/2 botte de coriandre

1 cuillerée à café de concentré de tomate

1 cuillerée à soupe de cognac

2 cuillerées à soupe d'huile d'olive

Sel

Poivre du moulin

1 poêle de 28 cm de diamètre environ

Thon aux gnocchis et aux agrumes

TEMPS DE PRÉPARATION
15 minutes

INGRÉDIENTS
POUR 4 PERSONNES
700 g de thon rouge
400 g de gnocchis de pomme de terre
2 citrons
1 orange
1/2 pamplemousse
1/2 bouquet de basilic
30 g de beurre
1 cuillerée à soupe d'huile d'olive
Fleur de sel
Sel
Poivre du moulin

1 poêle de 28 cm
de diamètre environ

Pelez les agrumes et retirez la fine pellicule blanche qui les recouvre. Prélevez les quartiers d'agrumes et retirez leur peau. Réservez.

Faites cuire les gnocchis dans de l'eau bouillante salée. Lorsqu'ils remontent à la surface, retirez-les de la casserole, rafraîchissez-les et égouttez-les.

Coupez le thon en quatre tranches. Salez et poivrez. Poêlez-les 1 minute de chaque côté à feu vif dans le beurre et l'huile.

Ajoutez les gnocchis et laissez cuire encore 1 minute en mélangeant.

Disposez les quartiers d'agrumes sur les tranches de thon, parsemez de feuilles de basilic et de 1 pincée de fleur de sel. Servez aussitôt.

Les tranches de thon ne doivent pas trop cuire afin de conserver tout leur moelleux. Vous pouvez remplacer le thon par de l'espadon et parsemer votre poêlée de zestes de citron vert.

Aiguillettes de bar au fenouil et aux olives

TEMPS DE PRÉPARATION
25 minutes

**INGRÉDIENTS
POUR 4 PERSONNES**
4 filets de bar sans arêtes de 150 g
chacun environ
2 bulbes de fenouil
50 g d'olives niçoises
2 cuillerées à soupe de sauce soja
1 cuillerée à café d'huile d'olive
Sel
Poivre du moulin

*1 poêle de 24 cm
de diamètre environ*

Épluchez, lavez et émincez finement les bulbes de fenouil. Réservez.

Coupez les filets de bar en quatre dans le sens de la longueur. Salez et poivrez les deux faces de chaque morceau.

Poêlez les aiguillettes de bar côté peau dans l'huile d'olive pendant 5 minutes à feu moyen. Retournez-les et laissez cuire 3 minutes. Réservez.

Dans le jus de cuisson des aiguillettes de bar, poêlez le fenouil pendant 5 minutes à feu moyen. Ajoutez les olives et la sauce soja, portez le tout à ébullition et laissez cuire 2 minutes à feu doux. Ajoutez les aiguillettes de bar et mélangez délicatement. Servez aussitôt.

Vous pouvez remplacer les filets de bar par des filets de daurade, de mulet ou de saint-pierre.

Crevettes au persil et aux échalotes

Faites chauffer le beurre dans le wok. Dès qu'il commence à mousser, ajoutez les crevettes et faites-les sauter 4 minutes à feu vif.

Ajoutez les échalotes et laissez cuire le tout 1 minute.

Parsemez de persil, salez, poivrez et laissez cuire 2 minutes à feu moyen.

Arrosez de jus de citron et servez aussitôt.

Cette recette sera encore meilleure si vous la réalisez très rapidement. Pour cela, ayez bien tous les ingrédients nécessaires à portée de main. Vous pouvez remplacer les crevettes grises par des bouquets ou des gambas.

TEMPS DE PRÉPARATION
10 minutes

INGRÉDIENTS
POUR 4 PERSONNES

120 g de crevettes grises

4 échalotes émincées

1 botte de persil plat haché

Le jus de 1/2 citron

20 g de beurre

Fleur de sel

Poivre du moulin

1 wok

Truites au pistou de coriandre

Lavez cinq gousses d'ail sans les peler et coupez-en les extrémités. Déposez-les dans une petite casserole et recouvrez-les de 25 cl d'huile d'olive. Laissez cuire 30 minutes à feu doux. Retirez les gousses de la casserole et égouttez-les. Réservez ces gousses confites.

Faites griller les pignons 5 minutes à la poêle ou sous le gril du four. Épluchez les gousses d'ail restantes, puis mixez-les avec le parmesan, 50 g de pignons et le reste d'huile d'olive pendant 3 minutes. Ajoutez les feuilles de coriandre et mixez encore 2 minutes. Réservez ce pistou de coriandre. Préchauffez le four à 180 °C (th. 6).

Salez et poivrez les truites. Poêlez-les dans le beurre 5 minutes de chaque côté à feu moyen, puis badigeonnez-les de pistou de coriandre sur les deux faces. Déposez-les dans un plat allant au four avec les gousses confites, enfournez-le, et laissez-les cuire 3 minutes. Décorez du reste de pignons et servez aussitôt.

Vous pouvez accompagner les truites au pistou de coriandre de pommes de terre sautées à l'ail ou de riz nature.

TEMPS DE PRÉPARATION
50 minutes

INGRÉDIENTS
POUR 4 PERSONNES
4 truites vidées de 200 g chacune environ
50 g de parmesan râpé
60 g de pignons
7 gousses d'ail
1 botte de coriandre
50 g de beurre
30 cl d'huile d'olive
Sel
Poivre du moulin

1 poêle antiadhésive de 28 cm de diamètre environ

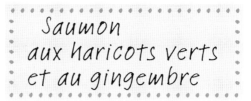

Saumon aux haricots verts et au gingembre

TEMPS DE PRÉPARATION
45 minutes

INGRÉDIENTS
POUR 4 PERSONNES
4 pavés de saumon sans peau et
sans arêtes de 200 g chacun
400 g de haricots verts
50 g de gingembre frais pelé coupé
en morceaux
2 brins de persil plat haché
Le jus de 1 citron
40 g de beurre
4 cuillerées à soupe d'huile d'olive
Sel
Poivre du moulin

1 poêle antiadhésive de 28 cm
de diamètre environ

Lavez et équeutez les haricots verts et réservez-les quelques minutes dans un saladier d'eau froide. Égouttez-les et faites-les cuire dans une grande casserole d'eau bouillante salée pendant 10 minutes environ. Égouttez-les et rafraîchissez-les. Égouttez-les à nouveau et réservez.

Mixez le gingembre avec le jus de citron et 3 cuillerées à soupe d'huile d'olive. Salez, poivrez et réservez.

Poêlez les pavés de saumon dans le reste d'huile d'olive pendant 15 minutes à feu moyen. Salez, poivrez et réservez. Essuyez l'excédent de gras de la poêle, ajoutez le beurre et faites sauter les haricots verts 5 minutes à feu moyen. Salez, poivrez et parsemez de persil.

Disposez les pavés de saumon sur les haricots verts et répartissez par-dessus la préparation au gingembre. Servez aussitôt.

Vous pouvez remplacer le saumon par de la truite, de la perche ou du thon.

Pétoncles asperges-orange

Pelez les asperges de la pointe vers le pied avec un économe, lavez-les et réunissez-les en botte avec de la ficelle de cuisine. Portez à ébullition 1 litre d'eau salée et faites-y cuire les asperges 7 ou 8 minutes. Rafraîchissez-les, égouttez-les et retirez la ficelle de cuisine.

Dans la poêle, faites cuire les pétoncles avec 30 g de beurre, l'huile d'olive, 1 pincée de sel et 1 tour de moulin à poivre pendant 2 minutes à feu moyen. Retirez-les de la poêle et mettez-y les asperges. Faites-les revenir 2 minutes, puis ajoutez les jus de fruits. Laissez cuire 5 minutes à feu moyen : le jus doit réduire de moitié et devenir sirupeux.

Ajoutez les pétoncles et le reste de beurre. Salez, poivrez et mélangez. Parsemez d'estragon et servez aussitôt.

Il est important de ficeler les asperges en bottes avant de les cuire, elles seront moins fragiles à la cuisson. Vous pouvez remplacer les pétoncles par des noix de Saint-Jacques.

TEMPS DE PRÉPARATION
30 minutes

INGRÉDIENTS
POUR 4 PERSONNES

600 g de pétoncles

20 asperges vertes

2 brins d'estragon haché

Le jus de 1 orange

Le jus de 1/2 citron

70 g de beurre

2 cuillerées à soupe d'huile d'olive

Sel

Poivre du moulin

1 poêle antiadhésive de 28 cm de diamètre environ

Sardines aux citrons et aux câpres

TEMPS DE PRÉPARATION
20 minutes

**INGRÉDIENTS
POUR 4 PERSONNES**
16 sardines fraîches vidées
4 citrons
50 g de câpres
3 tranches de pain de mie
1 botte de persil plat haché
40 g de beurre
2 cuillerées à soupe d'huile d'olive
Fleur de sel
Sel
Poivre du moulin
*1 poêle antiadhésive de 28 cm
de diamètre environ*

Essuyez les sardines de la queue vers la tête avec du papier absorbant afin d'ôter les écailles. Supprimez les têtes, coupez les sardines en deux dans la longueur et retirez les arêtes. Passez les sardines sous un filet d'eau froide et égouttez-les. Salez et poivrez. Poêlez-les dans l'huile d'olive 1 minute à feu vif côté peau, puis 30 secondes côté chair. Réservez les sardines. Jetez leur jus de cuisson et nettoyez la poêle.

Pelez les citrons à vif et détaillez-les en quartiers. Retirez la croûte du pain de mie, coupez-le en tout petits cubes et passez-les 5 minutes sous le gril du four afin qu'ils soient bien dorés. Réservez.

Faites fondre le beurre dans la poêle, puis ajoutez les citrons, les câpres et le persil. Laissez cuire 1 minute à feu moyen et ajoutez les sardines.

Réchauffez-les quelques secondes, agrémentez des petits croûtons et parsemez de fleur de sel. Servez aussitôt.

Vous retirerez plus facilement les arêtes des sardines si elles sont à température ambiante. Vous pouvez les remplacer par de petits maquereaux.

Émincé de veau aux cèpes

TEMPS DE PRÉPARATION
30 minutes

INGRÉDIENTS
POUR 4 PERSONNES
700 g de noix de veau
400 g de cèpes
2 échalotes émincées
1 pincée de farine
3 cuillerées à soupe de Noilly Prat®
20 cl de crème fraîche liquide
20 g de beurre
1 cuillerée à café d'huile d'arachide
Sel
Poivre du moulin

1 poêle antiadhésive de 28 cm
de diamètre environ

Nettoyez les cèpes avec une brosse humide. Coupez-les en lamelles de 1/2 cm d'épaisseur environ. Réservez.

Découpez le veau en lanières de 1/2 cm de largeur et saupoudrez-les de farine.

Dans la poêle, faites chauffer 10 g de beurre et l'huile d'arachide à feu vif. Dès que le beurre obtient une coloration noisette, ajoutez les lanières de veau et laissez-les colorer 2 minutes de chaque côté à feu vif. Récupérez le jus de cuisson et réservez les lanières.

Essuyez la poêle et mettez-y le reste de beurre. Faites-y dorer les échalotes 1 minute à feu moyen. Ajoutez les cèpes et laissez cuire le tout 3 minutes.

Versez le Noilly Prat® et faites cuire jusqu'à réduction complète 2 minutes à feu moyen. Ajoutez la crème liquide et le jus de cuisson du veau, puis laissez chauffer 4 minutes à feu moyen. Salez, poivrez et ajoutez les lanières de veau. Faites cuire le tout encore 2 minutes. Mélangez et servez aussitôt.

Vous pouvez accompagner cet éminçé de veau d'un riz pilaf ou de pommes Darphin (galettes de pommes de terre).

Blancs de poulet aux aubergines

Déposez le citron et les échalotes dans un plat creux et ajoutez le jus de citron et 2 cuillerées à soupe d'huile d'olive. Coupez les blancs de poulet en lanières de 1 cm de largeur. Déposez-les dans le plat et laissez-les mariner 2 heures au réfrigérateur.

Lavez les aubergines. Retirez-en le pédoncule et coupez-les en dés. Faites-les dorer à la poêle dans 1 cuillerée à soupe d'huile d'olive 4 minutes à feu vif. Ajoutez une gousse d'ail hachée, 1 pincée de sel et 1 tour de moulin à poivre, puis mélangez. Égouttez ces aubergines à l'ail afin de retirer l'excédent d'huile et réservez-les.

Égouttez légèrement les blancs de poulet et poêlez-les dans le reste d'huile d'olive avec les gousses d'ail restantes non pelées 2 minutes à feu vif. Ajoutez la marinade et laissez cuire 5 minutes à feu doux. Ajoutez ensuite les aubergines à l'ail, mélangez et parsemez de persil plat et de thym. Servez aussitôt.

Ne faites pas trop cuire les blancs de poulet. Ils doivent rester bien moelleux. Vous pouvez les remplacer par des blancs de dinde ou des escalopes de veau.

TEMPS DE PRÉPARATION
2 heures de marinade + 20 minutes

INGRÉDIENTS
POUR 4 PERSONNES

4 blancs de poulet sans peau de 150 g chacun environ

2 aubergines

1 citron confit coupé en dés

2 échalotes hachées

4 gousses d'ail

2 branches de thym

1/2 botte de persil plat

Le jus de 1 citron

4 cuillerées à soupe d'huile d'olive

Sel

Poivre du moulin

1 poêle de 24 cm de diamètre environ

Bœuf miroton aux asperges

TEMPS DE PRÉPARATION
1 heure

INGRÉDIENTS
POUR 4 PERSONNES

800 g de viande de pot-au-feu
(gîte) coupée en lamelles
16 asperges vertes
4 oignons rouges émincés
1 cuillerée à soupe de farine
25 cl de vin blanc
25 cl de bouillon de pot-au-feu
dégraissé (ou de bouillon de bœuf)
2 cuillerées à soupe d'huile d'arachide
Sel
Poivre du moulin

1 poêle de 28 cm de diamètre
environ (à bords hauts, si possible)

Pelez les asperges de la pointe vers le pied avec un économe et lavez-les. Coupez-les afin de ne garder que les pointes et réunissez-les en botte avec de la ficelle de cuisine.

Portez à ébullition 1 litre d'eau salée et faites-y cuire les asperges 7 ou 8 minutes. Rafraîchissez-les, égouttez-les et retirez la ficelle de cuisine.

Faites chauffer l'huile dans la poêle. Faites-y cuire les oignons à feu doux jusqu'à ce qu'ils soient transparents. Augmentez le feu et laissez-les dorer 5 minutes.

Ajoutez la farine, mélangez, puis versez le vin blanc et le bouillon. Portez à ébullition et laissez cuire 10 minutes à feu doux. La sauce doit être onctueuse.

Ajoutez la viande et laissez cuire 15 minutes à feu doux. Ajoutez les asperges et laissez cuire 1 minute. Salez, poivrez et mélangez délicatement. Servez aussitôt.

Vous pouvez remplacer les asperges par des légumes de pot-au-feu.

Rognons de veau ail confit-roquette

Ôtez la membrane transparente qui entoure les rognons, puis incisez-les pour retirer les parties nerveuses et la graisse au centre. Coupez grossièrement la graisse d'un rognon et faites-la chauffer dans une grande casserole. Ajoutez les gousses d'ail entières et laissez-les confire 20 minutes à feu moyen. Retirez les gousses et réservez.

Coupez les rognons en tranches de 1/2 cm d'épaisseur. Salez et poivrez généreusement. Dans la poêle, faites chauffer l'huile et faites-y dorer les rognons 3 minutes à feu vif. Retournez-les et laissez-les cuire encore 2 minutes. Réservez.

Essuyez la graisse de cuisson des rognons et déposez le beurre et les échalotes dans la poêle. Laissez-les suer 1 minute à feu moyen. Versez le vin rouge et laissez cuire 6 minutes environ. Ajoutez la crème liquide et le laurier et laissez cuire 3 minutes, puis ajoutez la roquette et les rognons. Laissez cuire le tout encore 2 minutes et servez aussitôt.

Les rognons doivent rester bien tendres et rosés. Pour cela, il leur faut, entre les deux cuissons, un temps de repos au moins égal à la durée de la première cuisson.

TEMPS DE PRÉPARATION
50 minutes

INGRÉDIENTS
POUR 4 PERSONNES
2 rognons de veau
(avec leur graisse, si possible)
130 g de roquette
28 gousses d'ail
2 échalotes hachées
1 feuille de laurier
25 cl de vin rouge
10 cl de crème fraîche liquide
10 g de beurre
1 cuillerée à soupe d'huile d'arachide
Sel
Poivre du moulin

1 poêle de 28 cm de diamètre environ (à fond épais, si possible)

Côtes d'agneau
« marinées-poêlées »

TEMPS DE PRÉPARATION
15 minutes + 1 nuit de marinade

INGRÉDIENTS
POUR 4 PERSONNES
12 côtes d'agneau (premières)
1/2 cuillerée à café de graines
de cumin
1 cuillerée à café de poivre
en grains concassé
2 branches de romarin
1 botte de thym
2 feuilles de laurier
3 cuillerées à soupe d'huile d'olive
1 pincée de fleur de sel
1 poêle de 28 cm de diamètre environ

La veille, mixez le laurier, le cumin, les feuilles de thym et de romarin, 1 cuillerée à soupe d'huile d'olive, la fleur de sel et le poivre concassé jusqu'à l'obtention d'une pâte grossière.

Badigeonnez les côtes d'agneau de ce mélange sur les deux faces et enveloppez-les dans du film alimentaire. Laissez-les mariner toute la nuit au réfrigérateur.

Le jour même, poêlez les côtes d'agneau dans le reste d'huile d'olive 2 minutes de chaque côté à feu vif. Servez aussitôt.

Accompagnez ces côtes d'agneau aux herbes d'une purée à l'huile d'olive, de tagliatelles de courgettes sautées ou d'un tian de légumes.

Ailerons de poulet caramélisés aux épinards

TEMPS DE PRÉPARATION
2 heures de marinade + 40 minutes

INGRÉDIENTS
POUR 4 PERSONNES
600 g d'ailerons de poulet
500 g de pousses d'épinards lavées
1 gousse d'ail hachée
2 cuillerées à soupe de ketchup
1 goutte de Tabasco®
1 litre de bouillon de volaille
2 cuillerées à café de vinaigre
balsamique
1 cuillerée à café de vinaigre
de vin vieux
10 g de beurre
2 cuillerées à soupe d'huile d'arachide
Sel
Poivre du moulin

1 poêle antiadhésive de 28 cm
de diamètre environ

Dans une casserole, portez à ébullition le bouillon de volaille à feu doux. Ajoutez les ailerons de poulet et laissez-les cuire 15 minutes à feu moyen. Égouttez-les sur du papier absorbant.

Dans un saladier, mélangez le ketchup, le Tabasco®, le vinaigre balsamique et le vinaigre de vin. Ajoutez-y les ailerons de poulet et laissez-les mariner pendant 2 heures au réfrigérateur.

Faites chauffer le beurre et l'huile dans la poêle. Égouttez les ailerons et incorporez-les à la poêle. Laissez-les caraméliser 5 minutes à feu vif. Baissez le feu et faites-les cuire encore 4 minutes. Retirez-les de la poêle et réservez-les.

Sans nettoyer la poêle, déposez-y l'ail et les épinards. Salez, poivrez et laissez cuire 1 minute à feu vif. Disposez les ailerons par-dessus et servez aussitôt.

Vous pouvez ajouter quelques feuilles d'oseille aux épinards, elles apporteront une acidité agréable à cette poêlée.
Vous pouvez aussi remplacer les épinards par de la roquette ou des endives.

Magrets de canard aux figues et au laurier

La veille, retirez la moitié de la graisse des magrets. Ouvrez-les en deux dans l'épaisseur. Salez et poivrez l'intérieur, puis glissez deux feuilles de laurier. Enveloppez-les dans du film alimentaire et réservez-les toute la nuit au réfrigérateur. Le jour même, préchauffez votre four à 120 °C (th. 4).

Lavez les figues. Déposez-les dans un plat allant au four, incisez-les sur le dessus et placez une noisette de beurre sur chacune. Salez, poivrez et arrosez de crème de cassis. Faites cuire les figues 20 minutes et réservez-les en conservant leur jus.

Poêlez les magrets, pendant 7 minutes à feu moyen côté peau, puis 2 minutes côté chair. Retirez-les de la poêle, réservez-les et essuyez la graisse rejetée à la cuisson. Versez le vinaigre dans la poêle et laissez cuire jusqu'à réduction complète 2 minutes à feu moyen.

Ajoutez le jus de cuisson des figues et laissez cuire 5 minutes environ. Remettez à cuire les figues et les magrets côté chair 2 minutes. Salez, poivrez et servez.

Les magrets de canard doivent rester bien tendres et rosés.

TEMPS DE PRÉPARATION
1 nuit au réfrigérateur + 50 minutes

INGRÉDIENTS
POUR 4 PERSONNES
2 magrets de canard de 300 g chacun environ
12 figues violettes
4 feuilles de laurier
2 cuillerées à soupe de crème de cassis
2 cuillerées à soupe de vinaigre de xérès
60 g de beurre
Fleur de sel
Sel
Poivre du moulin

1 poêle de 28 cm de diamètre environ (en fonte et à fond épais, si possible)

Faux-filet au beurre de moutarde

TEMPS DE PRÉPARATION
25 minutes

INGRÉDIENTS
POUR 4 PERSONNES

4 steaks de faux-filet de bœuf de
180 g chacun environ
1 cuillerée à café de moutarde forte
1 cuillerée à café de moutarde
à l'ancienne
1 cuillerée à café de Savora®
140 g de beurre
2 cuillerées à soupe d'huile d'arachide
Sel
Poivre du moulin

2 poêles de 24 cm de diamètre environ

Mixez 100 g de beurre et les trois sortes de moutarde pendant 7 minutes afin d'obtenir un beurre bien émulsionné (vous pouvez utiliser un fouet électrique en commençant doucement et en accélérant progressivement). Réservez ce beurre de moutarde au réfrigérateur. Salez et poivrez les steaks de faux-filet des deux côtés. Répartissez le reste de beurre et l'huile dans les poêles et faites-les chauffer. Déposez deux steaks par poêle et laissez-les cuire 3 minutes à feu vif sans les retourner. Retournez-les et laissez-les cuire 3 minutes. Réservez-les 5 minutes entre deux plats.
Préchauffer le gril du four.
Déposez une couche généreuse de beurre de moutarde sur les steaks. Transvasez-les dans un plat allant au four et passez-les sous le gril 30 secondes. Servez aussitôt.

Accompagnez ce faux-filet de frites maison, de pommes au four ou d'un gratin dauphinois. Vous pouvez remplacer le faux-filet par de la bavette ou de l'onglet.

Foie de veau aux légumes verts

TEMPS DE PRÉPARATION
50 minutes

**INGRÉDIENTS
POUR 4 PERSONNES**
500 g de foie de veau coupé
en tranches épaisses
100 g de pois gourmands
100 g de haricots verts
50 g de pousses d'épinards lavées
100 g d'asperges vertes
1 brin de persil plat haché
3 cuillerées à soupe de bouillon
de volaille
2 cuillerées à café de vinaigre de xérès
ou de vin rouge
40 g de beurre
Sel
Poivre du moulin

*1 poêle de 28 cm de diamètre
environ (à fond épais, si possible)*

Lavez et équeutez les pois et les haricots verts. Faites cuire les haricots dans une casserole d'eau bouillante salée pendant 10 minutes. Égouttez-les et rafraîchissez-les. Égouttez-les à nouveau et réservez.
Pelez les asperges de la pointe vers le pied avec un économe et lavez-les. Coupez-les afin de ne garder que 5 cm de pointes et réunissez-les en botte avec de la ficelle de cuisine. Portez à ébullition 1 litre d'eau salée et faites-y cuire les asperges 7 ou 8 minutes. Rafraîchissez-les et égouttez-les.
Salez et poivrez le foie. Poêlez-le 5 minutes de chaque côté à feu moyen dans 20 g de beurre. Ajoutez le vinaigre et laissez réduire 1 minute. Réservez le foie entre deux assiettes.
Versez le bouillon dans la poêle et laissez réduire 4 minutes à feu moyen. Ajoutez les pois, et, au bout de 3 minutes, les épinards, puis, au bout de 1 minute, les haricots verts et les asperges. Laissez cuire 5 minutes, puis incorporez le reste de beurre. Salez, poivrez et mélangez.
Émincez le foie en tranches de 1 cm de large environ, disposez-les sur les légumes et parsemez de persil. Servez aussitôt.

Vous pouvez remplacer le bouillon de volaille par du bouillon de légumes.

Lapin aux olives et au vin blanc

Demandez à votre boucher de désosser les râbles de lapin et de vous donner les os. Dans une casserole à fond épais, faites cuire les os de lapin 5 minutes à feu vif dans 2 cuillerées à soupe d'huile d'olive. Ajoutez la carotte, la gousse d'ail entière épluchée, les échalotes, le laurier, le thym, le concentré de tomate et le vin blanc, puis laissez cuire 10 minutes à feu moyen. Le vin doit avoir réduit de moitié. Ajoutez 20 cl d'eau et laissez cuire encore 20 minutes. Passez ce fond de lapin au chinois et réservez.

Plongez les tomates 30 secondes dans de l'eau bouillante. Rafraîchissez-les et pelez-les. Retirez les pépins et coupez les tomates en morceaux.

Salez et poivrez les râbles de lapin. Poêlez-les dans le beurre et le reste d'huile 5 minutes à feu moyen. Retirez les râbles, réservez-les et déposez les morceaux de tomates et les olives dans la poêle, puis versez le fond de lapin. Laissez cuire 10 minutes à feu doux. Salez, poivrez et ajoutez les râbles. Laissez cuire 2 minutes et servez aussitôt.

Accompagnez ces râbles de lapin de pâtes fraîches.

TEMPS DE PRÉPARATION
1 heure 10

INGRÉDIENTS
POUR 4 PERSONNES

4 râbles de lapin de 150 g chacun environ

2 tomates bien mûres

1 carotte coupée en rondelles

50 g d'olives niçoises

4 échalotes émincées

1 gousse d'ail

1 feuille de laurier

1 branche de thym

1 cuillerée à café de concentré de tomate

25 cl de vin blanc sec

10 g de beurre

3 cuillerées à soupe d'huile d'olive

Sel

Poivre du moulin

1 poêle de 24 cm de diamètre environ (en fonte, si possible)

Poires au miel et au romarin

TEMPS DE PRÉPARATION
35 minutes

**INGRÉDIENTS
POUR 4 PERSONNES**
3 poires (type williams)
1 branche de romarin
1 cuillerée à soupe de miel
(de romarin, si possible)
4 cuillerées à soupe
de crème fraîche épaisse
30 g de beurre
400 g de sucre semoule

*1 poêle de 24 cm de diamètre
environ (en cuivre ou antiadhésive)*

Pelez les poires, coupez-les en quatre et retirez le cœur et les pépins.

Dans une casserole, déposez le sucre et les feuilles de romarin en en réservant quelques-unes pour le décor. Versez 10 cl d'eau, ajoutez les poires et laissez-les cuire 15 minutes à feu moyen. Laissez refroidir et égouttez les poires.

Faites chauffer le beurre dans la poêle jusqu'à l'obtention d'une couleur noisette. Ajoutez les poires et le miel, puis laissez-les caraméliser 8 minutes à feu doux.

Parsemez du reste de romarin et servez aussitôt avec la crème fraîche à part.

Cette recette peut accompagner un gibier. La pleine saison des poires s'étend d'août à avril, elles font des desserts d'automne et d'hiver parfaits.

Framboises au fromage blanc

TEMPS DE PRÉPARATION
10 minutes

INGRÉDIENTS
POUR 4 PERSONNES
250 g de framboises
150 g de fromage blanc
Le jus de 1 citron
1 cuillerée à soupe de vinaigre
de framboise
20 g de beurre
2 cuillerées à soupe de sucre semoule

1 poêle de 24 cm de diamètre
environ à fond épais (en cuivre ou
antiadhésive)

Faites chauffer le beurre dans la poêle, puis ajoutez les framboises, le sucre, le jus de citron et le vinaigre de framboise. Laissez mijoter 5 minutes à feu doux en mélangeant délicatement.
Ajoutez des petites cuillerées de fromage blanc et servez aussitôt.

Vous pouvez proposer cette recette au moment du fromage. Achetez les framboises à la fin de votre marché afin d'éviter qu'elles ne s'écrasent dans votre panier.

Ananas caramélisés à la coriandre

TEMPS DE PRÉPARATION
30 minutes

INGRÉDIENTS
POUR 4 PERSONNES
2 ananas (type victoria)
25 cl de jus de mangue
(ou d'orange)
1/2 botte de coriandre ciselée
30 g de beurre
2 cuillerées à soupe de sucre semoule

1 poêle de 24 cm de diamètre
environ (en cuivre ou antiadhésive)

Épluchez les ananas, évidez-les et coupez-les en dés de 2 cm de côté.

Versez le sucre dans la poêle et faites-le chauffer à feu moyen jusqu'à l'obtention d'un caramel. Ajoutez le beurre, mélangez et ajoutez les dés d'ananas. Laissez-les bien caraméliser pendant 5 minutes à feu vif sans cesser de mélanger.

Versez le jus de mangue et laissez réduire 1 minute à feu moyen. Vous devez obtenir un jus légèrement sirupeux. Parsemez de coriandre et servez aussitôt.

Agrémentez cette poêlée d'un sorbet à la mangue ou d'une glace à la vanille, vous obtiendrez un dessert « chaud-froid » délicieux. Pour le choix des ananas, ne vous fiez pas à leur couleur : un ananas vert peut être mûr à point. Choisissez-les lourds, parfumés et souples sous la pression des doigts.

Litchis à la rose

Si vous utilisez des litchis frais, retirez leur écorce, coupez-les en deux et retirez leur noyau.

Faites chauffer le beurre dans la poêle jusqu'à l'obtention d'une couleur noisette. Ajoutez les litchis et le miel et laissez dorer 5 minutes à feu moyen.

Ajoutez l'eau de rose, mélangez délicatement et retirez du feu. Laissez refroidir, décorez des pétales de rose et servez.

Les litchis, ou cerises de Chine, se choisissent fermes et d'un rose soutenu. Cette préparation peut servir de base à des cocktails en ajoutant du champagne rosé.

TEMPS DE PRÉPARATION
15 minutes

INGRÉDIENTS
POUR 4 PERSONNES

400 g de litchis (frais ou en boîte)
Quelques pétales de roses rouges
non traitées
12 cl d'eau de rose
(dans les épiceries fines)
1 cuillerée à soupe de miel
30 g de beurre

1 poêle de 24 cm de diamètre environ (en cuivre ou antiadhésive)

Pêches « pochées-rôties » à la verveine

TEMPS DE PRÉPARATION
1 heure

INGRÉDIENTS
POUR 4 PERSONNES
4 pêches blanches
1 gousse de vanille
4 brins de verveine
grossièrement hachés
20 g de beurre
400 g de sucre semoule

1 poêle de 24 cm de diamètre
environ (en cuivre ou antiadhésive)

Plongez les pêches 20 secondes dans une casserole d'eau bouillante, puis rafraîchissez-les. Pelez-les, coupez-les en deux et retirez les noyaux.
Dans une casserole, portez 50 cl d'eau à ébullition. Ajoutez 350 g de sucre, la verveine et la gousse de vanille fendue. Retirez du feu et laissez infuser 15 minutes. Passez ce sirop au chinois, remettez-le sur feu doux et faites-y pocher les pêches 15 minutes. Retirez les pêches de la casserole et égouttez-les sur du papier absorbant. Laissez réduire le sirop de moitié 10 minutes à feu moyen.
Faites fondre le beurre dans la poêle. Ajoutez le reste de sucre et les pêches et laissez-les caraméliser 2 ou 3 minutes à feu moyen. Ajoutez le sirop et portez à ébullition. Retirez du feu et laissez refroidir avant de servir.

Si vous n'avez pas de brins de verveine, vous pouvez utiliser un sachet d'infusion. Le parfum d'une pêche est le meilleur signe de sa maturité. De très belles pêches jaunes ou des pêches de vigne conviendront également pour réaliser cette recette.

Bananes façon Suzette

Mélangez les jus d'orange et de citron. Fendez la gousse de vanille et grattez l'intérieur au-dessus d'un petit bol pour récupérer les graines. Réservez le tout.

Versez le sucre dans la poêle et faites-le chauffer à feu moyen jusqu'à l'obtention d'un caramel.

Ajoutez le beurre et mélangez, puis ajoutez les rondelles de bananes. Laissez cuire 4 minutes à feu moyen sans cesser de mélanger.

Versez la liqueur de Grand Marnier® et flambez le tout jusqu'à extinction. Ajoutez le mélange des jus et les graines de vanille. Laissez cuire 4 minutes environ et servez aussitôt.

Ne laissez pas les bananes au réfrigérateur et épluchez-les au dernier moment pour éviter qu'elles noircissent. Servez aussitôt, car les bananes ont tendance à s'imbiber de jus et à s'assécher. Agrémentez cette recette d'une glace à la noix de coco ou à la vanille.

TEMPS DE PRÉPARATION
25 minutes

INGRÉDIENTS
POUR 4 PERSONNES

4 bananes coupées en rondelles de 2 cm d'épaisseur

1 gousse de vanille

1 cuillerée à soupe de liqueur de Grand Marnier®

Le jus de 2 oranges

Le jus de 1 citron

30 g de beurre

2 cuillerées à soupe de sucre semoule

1 poêle de 24 cm de diamètre environ à fond épais (en cuivre ou antiadhésive)

Cerises noires aux calissons

Dans un récipient creux, versez le kirsch et le sucre. Ajoutez les cerises et laissez-les mariner 5 minutes.

Faites chauffer le beurre dans la poêle, ajoutez les cerises et la marinade, puis laissez cuire 5 minutes à feu vif. Ajoutez la crème liquide et laissez cuire le tout encore 5 minutes. La crème doit avoir réduit de moitié environ.

Faites tiédir les calissons 30 secondes au four à micro-ondes ou 1 minute au four préchauffé à 120 °C (th. 4). Disposez-les entiers sur la poêlée de cerises et servez aussitôt.

Pour vos enfants, vous pouvez remplacer le kirsch par du sirop d'orgeat. Achetez les cerises en fin de marché, afin de ne pas les écraser dans votre panier.

TEMPS DE PRÉPARATION
20 minutes

INGRÉDIENTS
POUR 4 PERSONNES

750 g de cerises noires lavées, équeutées et dénoyautées (type burlat)
8 calissons d'Aix (dans les confiseries)
1 cuillerée à soupe de kirsch
1 cuillerée à soupe de crème fraîche liquide
30 g de beurre
1 cuillerée à soupe de sucre semoule

1 poêle de 24 cm de diamètre environ (en cuivre ou antiadhésive)

Pommes aux pignons et au fenouil

TEMPS DE PRÉPARATION
30 minutes

INGRÉDIENTS
POUR 4 PERSONNES
1 kg de pommes (type granny-smith)
50 g de pignons
10 graines de fenouil
Le jus de 1 citron
20 g de beurre
50 g de sucre semoule

1 poêle de 24 cm de diamètre
environ (en cuivre ou antiadhésive et
à fond épais, si possible)

Faites griller les pignons 5 minutes à la poêle ou sous le gril du four. Réservez. Pelez les pommes, coupez-les en deux et retirez-en le cœur et les pépins. Coupez-les grossièrement en cubes et arrosez-les de jus de citron. Réservez. Versez le sucre dans la poêle et faites-le chauffer à feu moyen jusqu'à l'obtention d'un caramel. Ajoutez le beurre, les pommes et les graines de fenouil. Laissez caraméliser l'ensemble pendant 15 minutes à feu moyen en remuant souvent. Décorez de pignons et servez chaud ou tiède.

Vous pouvez accompagner cette poêlée d'une boule de glace à la cannelle ou à la vanille.
Elle peut aussi servir de garniture à un crumble.

Gariguettes au vinaigre balsamique

TEMPS DE PRÉPARATION
15 minutes

INGRÉDIENTS
POUR 4 PERSONNES
500 g de fraises (type gariguette)
1 cuillerée à soupe de vinaigre
balsamique
3 cuillerées à soupe de miel
(de lavande, si possible)
30 g de beurre
Poivre du moulin

1 poêle de 24 cm de diamètre
environ (en cuivre ou antiadhésive)

Lavez les fraises, égouttez-les sur du papier absorbant et équeutez-les.

Faites chauffer le beurre dans une poêle jusqu'à l'obtention d'une couleur noisette.

Ajoutez les fraises, le miel, le vinaigre et 1 tour de moulin à poivre, puis laissez cuire le tout 2 minutes à feu vif.

Mélangez délicatement et servez.

N'équeutez jamais vos fraises avant de les laver, car l'eau s'y infiltrerait et elles perdraient leur goût. Vous pouvez servir ce dessert accompagné d'une crème anglaise à la vanille. Les fraises de type mara des bois conviennent également pour cette recette.

Poêlée
mi-figues, mi-raisin

Lavez les figues et coupez-les en deux. Épluchez les grains de raisin, coupez-les en deux et retirez les pépins.

Versez le sucre dans la poêle et faites-le chauffer à feu moyen jusqu'à l'obtention d'un caramel. Ajoutez le beurre, puis les figues. Laissez-les caraméliser 8 minutes à feu moyen.

Ajoutez les grains de raisin et le muscat, puis laissez réduire de moitié pendant 5 minutes à feu moyen.

Parsemez de basilic et servez aussitôt.

Choisissez les figues de Solliès : elles sont sucrées, très goûteuses et supportent bien la cuisson. Accompagnez ce dessert d'un verre de muscat bien frais ou d'un porto.

TEMPS DE PRÉPARATION
25 minutes

INGRÉDIENTS
POUR 4 PERSONNES

12 figues violettes

24 gros grains de raisin (type muscat)

4 feuilles de basilic ciselé

15 cl de muscat

20 g de beurre

2 cuillerées à soupe de sucre semoule

1 poêle de 24 cm de diamètre environ (en cuivre ou antiadhésive)

Index des produits

Remerciements

······

À ma grand-mère et ma tante, pour les premiers moments de goût et de cuisine en famille.

À Guy Savoy, pour la confiance qu'il m'a toujours témoignée.

À Jean-Luc Petitrenaud, pour l'amour qu'il porte à la cuisine et aux cuisiniers.

À toute mon équipe, Franck Dervin et, notamment, Ludovic Rapenne, pour sa collaboration et sa grande complicité.

À Alain Gelberger, pour son talent et ses photographies merveilleuses, et Catherine Bouillot, pour ses mises en scène magiques des plats.

À Michèle Roche, pour son aide précieuse.

À Sylvie Désormière et Aurélie Cazenave, pour leur grand professionnalisme.

Aux éditions Minerva, qui ont donné naissance à ce projet.

Bruno Gensdarmes

Shopping

......

Tous nos remerciements aux fabricants, boutiques et show-rooms pour leur collaboration :

La Boutique Scandinave
Tél. : 01 40 22 02 67
Page : 25, 50-51

CMO
5, rue de Chabanais - 75002 Paris
Tél. : 01 40 20 45 98
Pages : 15, 18, 21, 31, 50-51, 64, 68

De Buyer
Points de vente au :
0800 05 55 30 (n° vert)
Pages : 18, 21, 31, 39, 47, 68, 71

Guy Degrenne
Points de vente au : 02 31 66 44 00
Pages : 28-29

Kitchen Bazaar
Vente à domicile au :
01 49 58 26 40
Pages : 28-29, 42-43

Le Creuset
02230 Fresnoy-le-Grand
Points de vente au :
0810 000 231 (n° azur)
Pages : 12-13, 15, 56-57

Peugeot
Points de vente au :
0810 12 23 38 (n° azur)
Pages : 18, 42, 53

Robert le Héros
13, rue de Saintonge - 75003 Paris
Tél. : 01 44 59 33 22
www.robertleheros.com
Page : 25

Staub
Points de vente au :
0800 74 77 77 (n° vert)
Page : 61

Souleiado
78, rue de Seine - 75006 Paris

Tél. : 01 43 54 62 25
Pages : 28-29, 34, 42-43, 47, 59, 68

Véronique Pichon
19 bis, rue de la Gare - 30700 Uzès
Tél. : 04 66 22 19 53
Pages : 64-65

WMF
Bercy Expo
24, avenue des Terroirs-de-France
75012 Paris
Points de vente au : 01 44 74 18 81
Pages : 74-75

En couverture :
Tissu Souleiado

Et tout particulièrement
à la société Bragard
186-188, rue du Faubourg-
Saint-Martin - 75010 Paris
Tél. : 01 42 09 78 09
Fax : 01 40 38 99 02

DANS LA MÊME COLLECTION :

Les Petits Bocaux de Ludovic Perraudin
Les Petites Boîtes de Stéphane Thoreton
Les Petits Bols de Jérôme Gangneux
Les Petites Cochonnailles de David Baroche
Les Petits Plats Scandinaves de Peter Thulstrup

Photogravure : Quadrilaser à Ormes
Achevé d'imprimer en février 2004
sur les presses de l'imprimerie Ercom à Vicenza
ISBN : 2-8307-0744-3
Dépôt légal : avril 2004
Imprimé en Italie